Amryliw

www.peniarth.cymru

Testun: Non ap Emlyn, 2018
© Delweddau: Canolfan Peniarth, Prifysgol Cymru Y Drindod Dewi Sant, 2018

Golygyddion: Lowri Lloyd ac Eleri Jenkins

Dyluniwyd gan Rhiannon Sparks

© Lluniau: Shutterstock.com. t.4 Glasshouse Images / Alamy Stock Photo. t.5 Azoor Photo / Alamy Stock Photo. t.10 Images of Africa Photobank / Alamy Stock Photo. t.10 FLPA / Alamy Stock Photo. t.11 Avalon/Photoshot License / Alamy Stock Photo. t.11 Rolf Nussbaumer Photography / Alamy Stock Photo. t.12 All Canada Photos / Alamy Stock Photo. t.12 Susan & Allan Parker / Alamy Stock Photo. t.13 Steven J. Kazlowski / Alamy Stock Photo. t.13 Nicolas Chan / Alamy Stock Photo

Cyhoeddwyd yn 2018 gan Ganolfan Peniarth

Cynnwys

Cyffrous

Mae lliwiau'n gyffrous.

Edrycha ar y bobl yma'n taflu paent lliwgar at ei gilydd yn India yn y gwanwyn.
Maen nhw'n taflu paent lliwgar achos maen nhw'n hapus bod y gwanwyn yn dod.

Wyt ti'n gwybod?

Gŵyl y Lliwiau neu Holi yw enw'r ŵyl yma.

Y diwrnod cyn i'r ŵyl ddechrau, mae gŵyl arbennig arall yn Jaipur, India – Gŵyl yr Eliffantod. Mae'n lliwgar iawn.

paent lliwgar

trwnc lliwgar

addurniadau lliwgar

Cyffrous!

Hen

Mae'r lluniau yma'n hen iawn, iawn. Maen nhw tua 17 000 – 19 000 mlwydd oed.

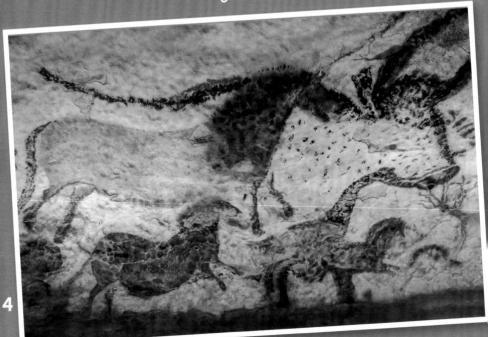

Mae'r lluniau wedi eu peintio ar waliau mewn ogof yn Ffrainc ac maen nhw'n dangos anifeiliaid.

Pa liwiau wyt ti'n gallu gweld yn y lluniau?

Doedd dim paent ar gael yr adeg yma.
Felly, roedd y bobl yn malu cerrig yn bowdr ac yn cymysgu'r powdr gyda dŵr neu gyda'u poer.

Yna, roedden nhw'n defnyddio pethau fel mwswm neu frigau i beintio'r waliau. Roedd rhai'n chwythu'r "paent" drwy hen esgyrn hefyd.

5

Modern

Heddiw, rydyn ni'n defnyddio paent ac felly rydyn ni'n gallu tynnu lluniau lliwgar iawn.

Dyma un ffordd o wneud paent lliwgar heddiw.

Mae angen:

1 cwpanaid o flawd   1 cwpanaid o halen   1 cwpanaid o ddŵr

Hylif lliw ar gyfer cacennau – lliwiau gwahanol

Dull:

1. Rho'r blawd a'r halen mewn powlen.
2. Cymysga'r dŵr i mewn yn dda - dim lympiau!
3. Rhanna'r gymysgedd i 4-5 o ddysglau bach.
4. Ychwanega liw gwahanol i bob dysgl.

Dw i'n mynd i wneud y paent yma!

7

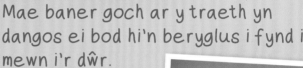

Peryglus

Mae rhai lliwiau'n dangos perygl.

Mae coch yn arwydd o berygl yn aml iawn.

Mae baner goch ar y traeth yn dangos ei bod hi'n beryglus i fynd i mewn i'r dŵr.

Mae golau coch yn dweud wrthot ti am stopio achos bod ceir yn dod.

Siocled

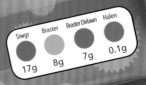

Siwgr	Braster	Braster Dirlawn	Halen
17g	8g	7g	0.1g

Paid â bwyta gormod o'r bwyd yma!

Mae'r lliw coch ar becyn bwyd yn dangos bod llawer o fraster, siwgr neu halen yn y bwyd.

Mae lliw rhai anifeiliaid yn dangos perygl.

Dyma froga gwenwynig iawn, iawn.

Byw:	Yn y fforest law yn Ne America
Lliwiau:	Melyn, oren neu wyrdd
Maint:	Tua 1.5 cm - 5 cm

Mae'r lliw'n llachar iawn ac felly mae anifeiliaid eraill yn gwybod i beidio â chyffwrdd.

Mae gwenwyn yn y croen.

Paid â chyffwrdd!

Dw i ddim eisiau'r broga yma yn yr ardd! Dim diolch!

Edrycha ar y lluniau yma.

Beth sydd yn y lluniau?
Ble maen nhw?
Sut mae eu lliw yn eu helpu nhw?

Mae lliw'r anifeiliaid hyn yn debyg i'r lliwiau o'u cwmpas ac felly maen nhw'n gallu cuddio'n hawdd. Cuddliw yw'r enw ar hyn.

Mae hyn yn helpu'r anifeiliaid i hela. Maen nhw'n gallu aros yn dawel heb gael eu gweld. Yna, pan mae anifail yn dod yn agos, maen nhw'n gallu ei ddal.

Cyfrwys iawn!

11

Dyma lwynog yr Arctig yn yr haf. Edrycha ar liw ei got - mae'n debyg i liw'r tir.

Dyma ysgyfarnog yr Arctig yn yr haf. Pa liw yw ei chot?

12

Y gaeaf

Dyma lwynog yr Arctig yn y gaeaf. Edrycha ar liw ei got nawr - mae'n debyg i liw'r eira.

Dyma ysgyfarnog yr Arctig yn y gaeaf. Pa liw yw ei chot nawr?

Mae'r anifeiliaid wedi newid eu lliw er mwyn gallu cuddio'u hunain.

Newid lliw! Dyna glyfar!

13

Lliwgar

Dyma ardd liwgar.

Mae'r dail yn wyrdd iawn achos mae cloroffyl ynddyn nhw. Mae'r cloroffyl yn helpu'r planhigion i amsugno ynni o'r haul ac mae hyn yn helpu'r planhigyn i wneud bwyd. Clyfar!

Mae byd natur yn ffantastig!

Mae'r blodau'n lliwgar iawn. Maen nhw'n denu pryfed. Bydd y pryfed yn dod at y blodau a byddan nhw'n cario paill y blodau at flodau eraill. Dyma sut mae hadau'n cael eu ffurfio.

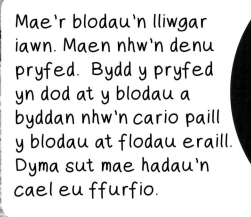

Mae mafon yn goch ac mae mwyar duon yn ddu. Mae'r lliwiau'n denu'r adar. Bydd yr adar yn dod i fwyta'r ffrwythau. Yna, byddan nhw'n hedfan i ffwrdd. Bydd hadau'r mafon a'r mwyar duon yn pasio drwy gyrff yr adar a bydd planhigion bach newydd yn tyfu o'r hadau ble maen nhw'n glanio. Clyfar!

Rhyfeddol!

Os wyt ti'n edrych i fyny i'r awyr ar noson glir, pa liwiau wyt ti'n gweld?

seren felen

seren las

Wyt ti'n gwybod

Mae sêr glas yn enfawr ac maen nhw'n boeth iawn.

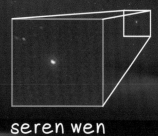

seren wen

16

Dyma rywbeth
rhyfeddol! Golau
lliwgar yn yr awyr.
Mae'n digwydd pan
fydd gronynnau o'r
haul yn mynd drwy
atmosffer y Ddaear.
Mae hyn yn creu
golau lliwgar yn yr
awyr - dros Begwn y
Gogledd a Phegwn y
De fel arfer.

Rhyfeddol!

17

Mynegai